Nanw a
Caradog Crafog
Llwyd Lloerig

Nanw a Caradog Crafog Llwyd Lloerig

Anni Llŷn

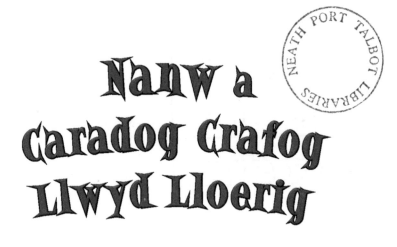

Lluniau Helen Flook

Gomer

Cyhoeddwyd gyntaf yn 2013 gan
Wasg Gomer, Llandysul, Ceredigion, SA44 4JL
www.gomer.co.uk

ISBN 978 1 84851 663 2

Cyhoeddwyd gyda chefnogaeth Llywodraeth Cymru.

Argraffwyd a rhwymwyd yng Nghymru gan
Wasg Gomer, Llandysul, Ceredigion.

Pennod 1

'Naaaanwww!'

Sgrechiodd ei mam ar Nanw, mewn llais braidd yn flin. Roedd Nanw'n dal i rochian yn ei gwely, er ei bod ymhell ar ôl amser codi.

'Naaannww!' sgrechiodd ei mam eto, ond y tro hwn roedd y sgrech yn dod o waelod y grisiau.

'Naaaanww!'

Erbyn hyn, roedd y sgrech yn dod o'r tu
allan i ddrws ei llofft. Ceisiodd Nanw gladdu
ei hun yn ddyfnach o dan y dillad gwely.

'NANW! Coda . . . ti'n hwyr!' Roedd ei mam wedi cyrraedd gwaelod y gwely erbyn hyn, ac yn ei ysgwyd yn wyllt.

Doedd Nanw ddim
yn dda iawn am
godi yn y bore,
yn enwedig heddiw.
Doedd hi ddim
wedi gwneud ei
gwaith cartref i
Mrs Pwmpian,
ei hathrawes
wallgo, ddrewllyd.

Cododd yn ara deg o'i gwely wrth i'w mam fownsio o gwmpas y stafell yn chwilio am ei gwisg ysgol.

Roedd gan Nanw wallt hir, brown tywyll
oedd wastad yn edrych yn flêr, ac roedd ei
llygaid duon bron mor dywyll â sgrin deledu
heb drydan.

Roedd ganddi frychni dros ei thrwyn
a'i bochau i gyd. Pan na fyddai ganddi ddim
byd gwell i'w wneud, byddai'n edrych yn
y drych ac yn chwarae 'O ddot i ddot' ar
ei hwyneb, gan dynnu llinellau rhwng y
brychni i greu lluniau.

Byddai ei mam yn gwylltio'n gandryll wrth ei gweld yn gwneud hynny!

Roedd gan bawb arall yn nheulu Nanw wallt cyrliog, melyn a llygaid glas fel fferins.

Doedd gan Guto a Gwenno, ei brawd a'i chwaer fawr, ddim hyd yn oed un dot ar eu wynebau – heb sôn am frychni.

Roedd Nanw, druan, yn edrych yn
debycach i Now y ci nag i'w brawd a'i
chwaer.

O'r diwedd, rhedodd Nanw i lawr y
grisiau. Gwthiodd ei mam ddarn o dost i'w
cheg a dweud wrthi am ruthro lawr y lôn
fach i ddal y bws.

Pennod 2

'O nefi wen!' meddai Nanw wrth weld pen-ôl y bws yn chwyrnu ei ffordd rhwng y cloddiau i gyfeiriad yr ysgol.

Rŵan, nid yn unig mi fyddai Mrs Pwmpian yn dweud y drefn wrthi am beidio â gwneud ei gwaith cartref, ond byddai hi hefyd siŵr o gael ffrae am fod yn hwyr i'r ysgol.

Byddai'n rhaid iddi geisio cyrraedd yr ysgol cyn y bws. Gwyddai Nanw fod hyn yn bosib drwy groesi'r caeau. Roedd Guto, ei brawd, wedi gwneud hynny droeon.

Felly llowciodd Nanw ei thost a neidio i
ben y clawdd agosaf. Dringodd dros y
weiren bigog a llithro i lawr i'r cae gan
rwygo'i siwmper wrth fynd. Rhedodd yn ei
blaen heb falio dim.

Yn y cae nesaf roedd 'na goed, ac afon i'w
chroesi. Penderfynodd Nanw mai'r ffordd
orau i fynd i'r ochr arall heb wlychu oedd
trwy ddringo coeden go fawr. Roedd cangen
drwchus yn hongian dros yr afon fel braich
hir, gadarn.

Roedd Nanw'n giamstar ar ddringo coed.
Ni chafodd drafferth o gwbl wrth grafangu i
fyny a llithro ar draws y gangen.

'O diar!' meddai, ar ôl cyrraedd y rhan o'r
gangen oedd yn hongian yr ochr arall i'r
afon. 'Sut yn y byd alla i ddod i lawr?'

O dan y gangen roedd yna bwll mawr o
fwd tew, budr.

Wrth geisio meddwl beth i'w wneud,
clywodd Nanw swn. Dychrynodd a cholli'i
gafael.

'Oooo! Naaaa!' Disgynnodd yn bendramwnwgl i'r pwll mwdlyd. Peidiodd y sŵn rhyfedd.

Ond, yn sydyn, dechreuodd rhywbeth symud yng nghanol y coed gerllaw.

Roedd rhywbeth yn dod tuag ati . . .

Pennod 3

Er ei bod hi'n gorwedd yng nghanol y mwd, doedd Nanw ddim wedi brifo, diolch byth.

Cododd ei phen yn ara deg.

Roedd cymaint o fwd ar ei hwyneb fel nad oedd hi'n gallu gweld yn iawn.

Roedd y mwd hyd yn oed wedi mynd i fyny'i thrwyn ac i mewn i'w chlustiau.

Dechreuodd dagu
a phoeri.

Wrth iddi geisio glanhau'r
mwd o'i chlustiau, clywodd
lais dwfn, dychrynllyd.

Rhewodd Nanw. Rhwbiodd ei llygaid eto,
gan ddisgwyl gweld cawr hyll â phlorod
seimllyd ar ei wyneb. Ond beth welodd hi o'i
blaen oedd dyn bach, bach nad oedd fawr
talach nag un o'i llyfrau ysgol.

Roedd yn gwisgo trowsus coch a siaced amryliw, ond doedd ganddo ddim esgidiau. Roedd ei wallt yn frown fel mwd ac yn sticio allan i bob cyfeiriad, fel drain.

'Pwy wyt ti?' meddai'r dyn bach eto yn ei lais dwfn, dychrynllyd.

Edrychodd Nanw
arno'n syn. Teimlai braidd
yn ofnus.

Ond, yn sydyn,
dechreuodd y dyn
bach chwerthin dros
bob man.

Roedd yn chwerthin cymaint nes iddo
ddisgyn ar ei gefn ar y llawr a rowlio'n ôl
ac ymlaen a'i draed budr yn yr awyr.

Cododd Nanw ar ei thraed. Doedd hi
ddim yn deall beth oedd yn digwydd. Roedd
hi'n dechrau gwylltio â'r dyn bach am
chwerthin ar ei phen.

'Oi!' gwaeddodd arno. 'Pam wyt ti'n chwerthin cymaint, y twmffat?'

Cododd y dyn bach yn ara deg a dechrau siarad mewn llais bach annwyl.

'Roedd dy wyneb di'n werth ei weld!'
Tynnu coes Nanw oedd y dyn bach wrth
ddefnyddio'r llais dwfn, dychrynllyd.

'Pwy ar wyneb y ddaear wyt ti?'
gofynnodd Nanw.

'Fi?' gofynnodd y dyn bach od.

'Ia . . . chdi!' meddai Nanw wrtho.

'Caradog Crafog Llwyd Lloerig ydw i, siŵr iawn,' meddai'r dyn bach od, a'i lygaid yn pefrio fel dafnau glaw yn yr haul.

Pennod 4

Syllodd Nanw
arno'n gam gan fethu'n
lân â deall o ble roedd o
wedi dod. Oedd y dyn
bach od yma'n byw yn
y coed, tybed?

A pham nad
oedd yn gwisgo
esgidiau?

Roedd
hi'n mynd i fod
mewn mwy fyth
o drwbwl ar ôl hyn,
meddyliodd Nanw.

O nefi wen!

Byddai Mrs Pwmpian nid yn unig yn
dweud y drefn wrthi am beidio â gwneud ei
gwaith cartref, ac am gyrraedd yr ysgol yn
hwyr, ond erbyn hyn roedd ei dillad yn
fwdlyd a blêr hefyd.

Ac ar ben popeth, roedd hi wedi dod ar draws rhyw greadur od o'r coed.

'Esgusoda fi, Caradog Crafog, neu beth bynnag ydy dy enw di. Mae'n rhaid i mi fynd . . . dwi'n hwyr!' meddai Nanw wrtho gan straffaglu o'r mwd.

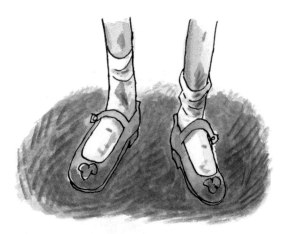

'Dw i'n gwybod,' meddai Caradog. 'Dyna
pam dw i yma.'

Pennod 5

'Dw i yma i dy helpu di . . . ond mae yna un amod,' meddai Caradog wrth Nanw.

'Beth?' gofynnodd Nanw yn syn.

'Rhaid i mi gael un smotyn o dy frychni haul di.'

'O nefi wen!' meddai Nanw eto, gan ddechrau amau bod Caradog wedi drysu'n lân.

Ond, yn ara deg, cododd Caradog ei fys
bach a'i osod ar frycheuyn ar foch dde
Nanw. Tynnodd ei fys oddi ar ei hwyneb a'i
droi tuag at ei wyneb ei hun. Gosododd ei
fys bach ar flaen ei drwyn.

Anadlodd yn ddwfn cyn gwneud sŵn rhech bach â'i geg. Rhoddodd ei law i lawr wrth ei ochr yn sydyn. A wir i chi, yn sydyn, ymddangosodd smotyn bach brown ar ei drwyn.

'Hmm!' ebychodd Caradog.

Edrychodd Nanw arno'n hurt, ond cyn iddi ddweud gair dechreuodd Caradog siarad.

'Oeddat ti i fod i sgrifennu stori am unrhyw greadur fel gwaith cartref?' gofynnodd Caradog yn ddifrifol.

'Oeddwn,' atebodd Nanw.

'Ai Mrs Pwmpian, y ddynes â phen-ôl anferth, ydy dy athrawes di?' gofynnodd Caradog wedyn.

'Wel, ia,' atebodd Nanw eto.

'Iawn. Gad i mi weld dy ddwylo di,'
meddai Caradog, gan afael yn nwy law
Nanw ac edrych arnyn nhw'n fanwl. Yna,
heb unrhyw rybudd, plygodd i lawr wrth ei
thraed. Clapiodd ei ddwylo ddwywaith
uwchben dwy droed Nanw cyn codi i'w
hwynebu.

'Yn anffodus,' meddai Caradog, 'fedra i ddim gwneud unrhyw beth ynghylch y dillad mwdlyd 'na. Ond os rhedi di yr holl ffordd, mi fedri di gyrraedd yr ysgol mewn pryd.'

'Ond beth am fy ngwaith cartref, a Mrs Pwmpian?' gofynnodd Nanw'n betrus.

'Paid â phoeni dim am Mrs Pwmpian.
Erbyn i ti gyrraedd yr ysgol, mi fydd hi
mewn hwyliau ardderchog,' meddai
Caradog yn garedig gan roi winc fach arni.

Diolchodd Nanw yn gynnes iddo, a rhedeg i gyfeiriad yr ysgol. Rhedodd yn gynt na'r gwynt, a'i thraed yn symud yn llawer mwy chwim nag arfer.

Pennod 6

Wrth iddi redeg
yr holl ffordd
i'r ysgol,
meddyliodd
Nanw am
Caradog
Crafog Llwyd
Lloerig.
Meddyliodd
am ei draed
budr, ei ddillad
lliwgar, a'i
wallt fel drain.
Meddyliodd
am ei lygaid
oedd yn pefrio
fel dafnau glaw
yn yr haul.

Tra oedd meddwl Nanw'n gwibio,
clywodd floedd yn dod o gyfeiriad drws yr
ysgol. A dyna lle roedd Mrs Pwmpian yn
brasgamu tuag ati, a'i breichiau ar led.

'NANW!' gwaeddodd.

Gafaelodd Mrs Pwmpian amdani a'i chodi i'r awyr.

'Oooo Nanw . . . ti'n ferch gwbl arbennig!' meddai mewn llais dramatig.

Doedd Nanw ddim yn mwynhau cael ei chofleidio fel hyn gan ei hathrawes ddrewllyd. Ond o leia doedd hi ddim yn dweud y drefn wrthi.

Roedd Mrs Pwmpian yn gwenu fel giât wrth ddweud wrth Nanw cymaint roedd hi wedi mwynhau darllen ei stori gwaith cartref. Roedd hi wedi dod o hyd i'r gwaith ar lawr yr iard wrth iddi gyrraedd yr ysgol y bore hwnnw.

'Fe wnes i adnabod dy sgrifen di'n syth bìn!' meddai hi.

Ac yn wir, yn ei llaw, roedd gan Mrs Pwmpian dudalen o bapur a llawysgrifen Nanw arni. Teitl y gwaith oedd: 'Y Ferch a'r Creadur Hud o'r Coed'.

'Dyma'r stori orau i mi ei darllen erioed!' ebychodd Mrs Pwmpian.

Roedd hi wedi gwirioni cymaint, sylwodd hi ddim ar yr olwg hurt oedd ar wyneb Nanw, nac ar y mwd ar ei dillad.

Cafodd Nanw ddiwrnod i'r brenin yn yr ysgol y diwrnod hwnnw. Darllenodd Mrs Pwmpian y stori i weddill yr ysgol, ac roedd pawb wrth eu bodd.

Treuliodd Mrs Pwmpian weddill y prynhawn yn trefnu bod y stori'n cael ei hanfon i'r papur lleol ac i gystadlaethau ysgrifennu, felly cafodd y dosbarth brynhawn rhydd i fynd allan i chwarae.

Roedd Nanw'n teimlo braidd yn euog ei
bod hi'n cael yr holl sylw, achos roedd hi'n
sicr nad hi oedd wedi ysgrifennu'r stori.
Felly, penderfynodd gerdded adref drwy'r
coed i chwilio unwaith eto am Caradog
Crafog Llwyd Lloerig.

Ond er iddi chwilio'n ofalus a galw ei enw droeon wrth lan yr afon, chlywodd hi 'run siw na miw, a doedd dim golwg ohono yn unman.

Pennod 7

Roedd Nanw'n chwibanu'n hapus braf wrth iddi gerdded i mewn i'r tŷ. Ar hyd y ffordd adref, roedd hi wedi bod yn meddwl am Caradog Crafog Llwyd Lloerig. 'Fedra i ddim credu ei fod wedi medru gwneud fy ngwaith cartref, dim ond wrth ddwyn un brycheuyn bach oddi ar fy wyneb!' meddai wrthi'i hun.

'Dyma'r diwrnod gorau i mi ei gael erioed!' meddai Nanw'n hapus.

Ond, yn sydyn, daeth Mam i mewn i'r gegin a'i gweld.

'Naaannww! Sbia'r golwg sydd arnat ti!' gwaeddodd mewn dychryn.

Edrychodd Nanw i lawr arni hi ei hun. Roedd hi'n fwd sych o'i chorun i'w sawdl, a'i gwallt budr yn edrych yn debycach i fwng ceffyl gwyllt.

'O nefi wen!' meddai Nanw dan ei gwynt.

Roedd hi mor falch bod Mrs Pwmpian heb ddweud y drefn wrthi am ei gwaith cartref nes ei bod wedi anghofio'n llwyr am y mwd a'r llanast ar ei dillad.

'Tynna dy ddillad ysgol ar unwaith, a mynd i gael cawod!' gwaeddodd ei mam. Ond, yn sydyn, edrychodd Mam yn ofalus ar Nanw.

Rhoddodd ei llaw ar foch dde Nanw a'i rhwbio'n ysgafn.

'Rwyt ti'n edrych ychydig yn wahanol heddiw, pwt,' meddai mewn llais tyner cyn sylweddoli'n sydyn ei bod hi ar ganol dweud y drefn wrth ei merch.

'Rŵan . . . i fyny'r llofft 'na'r munud 'ma!' gwaeddodd Mam.

Ac ar ôl i Nanw ddringo'r grisiau'n araf,
cymerodd gipolwg drwy ffenest y llofft ac
edrych tuag at y coed lle roedd hi wedi gweld
Caradog Crafog Llwyd Lloerig.

Ond doedd dim golwg ohono yn unman . . .
y tro hwn, o leia.